GH01018359

ro
ro
ro

Hans Joachim Schädlich

Der
Sprach-
abschneider

Bilder von
Amelie Glienke

Rowohlt

22. Auflage Februar 2010

Veröffentlicht im Rowohlt Taschenbuch Verlag,
Reinbek bei Hamburg, Mai 1993
Copyright © 1980 by Rowohlt Verlag GmbH,
Reinbek bei Hamburg
Gesamtherstellung CPI – Clausen & Bosse, Leck
Printed in Germany
ISBN 978 3 499 20685 6

Der Sprachabschneider

Montags, dienstags, mittwochs, donnerstags, freitags und sonnabends klingelt genau neben Pauls Ohr pünktlich um sechs Uhr dreißig der große Wecker so laut, dass Paul glaubt, er träume von einem großen lauten Wecker, der genau neben seinem Ohr klingelt. Weil es aber, glaubt Paul, ein Traum ist, dreht er sich auf die andere Seite und will weiterschlafen. Weil aber der Wecker in Pauls Traum so laut klingelt, dass Paul wach geworden ist, wird Paul wach, dreht sich um und sieht pünktlich um sechs Uhr einunddreißig auf den Wecker, der gerade geklingelt hat. Der Wecker klingelt ja gar nicht, denkt Paul. Hab ich also doch geträumt.
Was müsste Paul jetzt tun, überlegt Paul. Er überlegt eine Weile, dann fällt es ihm ein: den Oberkörper aufrichten, die Bettdecke zurück-

schlagen, die Füße auf den Fußboden setzen.
Uh! Kalt! Paul deckt sich bis unters Kinn zu.
Sonst ist alles still. Oder? Alles ist still. Paul

schließt die Augen und denkt: Der Schlaf nach
dem Aufwachen ist der gesündeste.
Da geht die Tür auf, Pauls Mutter sagt viel zu

laut: «Aufstehen, Paul!», und knipst das viel zu helle Licht an. Die viel zu laute Stimme von Pauls Mutter und das viel zu helle Licht sind zu viel für Paul. Mit dem warmen Bett und dem gesunden Schlaf nach dem Aufwachen ist es aus. Paul richtet den Oberkörper auf, schlägt die Bettdecke zurück und setzt die Füße auf den Fußboden. Uh! Noch kälter, als Paul gedacht hat. Immer, wenn es morgens kalt ist, ändert Paul die Reihenfolge: Er zieht sich erst an, dann wäscht er sich.

Das Frühstück dauert bei Paul nur fünf Minuten. Er hat es aber nicht eilig, in die Schule zu kommen.

Auf dem Weg zur Schule gibt es immer etwas zu sehen, und warum soll Paul nicht zusehen, wenn es etwas zu sehen gibt? Paul kam schon öfters zu spät, weil er zusah, was es zu sehen gab. Er sagte dann, er habe verschlafen. Einmal sagte er, es habe unterwegs so viel zu sehen gegeben. Als der Lehrer aber fragte, was es gewesen sei, hatte Paul keine Lust, davon zu erzählen. Da sagte der Lehrer, das sei eine faule Ausrede von Paul, weil Paul nicht zugeben wolle, dass er verschlafen habe.

Seit diesem Tag macht Paul sich um Punkt sieben Uhr auf den Schulweg. Pauls Mutter sagt jeden Morgen: «Warum gehst du so früh, Paul?» Sie wundert sich aber nicht sehr. Sie weiß, dass Paul immer viel Zeit braucht. Deshalb findet sie es eigentlich richtig, dass er so früh geht.

Das Erste, was Paul sieht, ist ein riesiger weißer Baum, der hoch am Himmel über Paul hinweg-

schwebt. Ein schwebender Himmelsbaum, denkt Paul. Ein weißer Riesenbaum. Ein riesiger Weißbaum über Paul. Ein riesiger Himmels-Weißbaum. Ein weißer Himmels-Riesenbaum.

Nach sieben Schritten, Paul geht sehr langsam, ist der Baum ein Elefant. Sechs Schritte später ist der Elefant eine Lokomotive. Fünf Schritte später ist die Lokomotive ein Bett. Der Wind macht aus der Wolke, was er will: einen Wolkenbaum, einen Wolkenelefanten, eine Wolkenlokomotive, ein Wolkenbett.

Paul, der noch müde ist, säße gern auf dem Wolkenelefanten und ritte gemächlich zur Schule. Noch lieber läge er in dem Wolkenbett. Er würde natürlich nicht schlafen. Nur dösen. Die dünnen Wolkenfetzen, die neben

der Bettwolke durcheinander segeln, sehen
wie Sauerkraut aus. Ab und zu könnte Paul
sich eine Portion Sauerkraut vom Blauhimmel
langen.

Jetzt hat Paul die Straßenbahnhaltestelle erreicht. Wenn es keine Wolkenlokomotive ist, eine Straßenbahn ist auch etwas. Paul stellt sich hinter den Fahrer und sieht zu, wie der Fahrer klingelt und losfährt. Eigentlich hat Paul die Klingelei nicht gern. Sie erinnert ihn daran, dass die Zeit vergeht und die Schule bald anfängt. Die Fahrgäste drängeln, und Paul muss aufpassen, dass er in dieser Drängelei nicht fortgeschoben wird. Ein älterer Mann sagt zu einem jüngeren Mann: «Jeden Morgen fahre ich mit dieser Bahn, und jeden Morgen ist es dieselbe Fahrerei. Ein Geruckel und Gezuckel, dass die letzte Müdigkeit verfliegt, wenn du noch müde bist.» Die Bahn ruckelt und zuckelt weiter, doch Paul hört nicht länger auf die Morgenunterhaltung

16

der beiden Männer. Er sieht gerade, dass es zu regnen anfängt.

Die Regenschauer stürzen auf die Straßenbahn wie haushohe Wellen auf ein Schiff. Das Wasser schlägt an die Scheiben und läuft in Strömen an den Scheiben herab, sodass Paul ringsum nur noch Wasser sieht. Die Straßenbahn bahnt sich neben einem Lastauto, das mit Kohle beladen ist, mühsam einen Weg durch das Wasser auf der Straße. Kurz vor der Schule sind die Schienen so buckelig und ausgebeult, dass das Straßenbahnschiff plötzlich stampft und schlingert. Der Kapitän geht auf halbe Fahrt. Das Lastschiff mit Kohle schiebt sich vor das Straßenbahnschiff. Hinter das Straßenbahnschiff hat sich ein froschgrünes Autoboot für zwei Personen gesetzt, das nach links in einen

schmaleren Straßenkanal abbiegen will. Neben das Straßenbahnschiff darf jetzt niemand mehr fahren, weil die Straßenbahn hält. Aus der entgegengesetzten Richtung kommt eine andere Straßenbahn, die an Pauls Straßenbahn vorbeifährt. Zwischen den beiden Straßenbahnen ist so wenig Platz, dass wahrscheinlich nicht einmal Paul zwischen die beiden Straßenbahnen passen würde.

Paul steigt aus. Bis zur Schule ist es nicht mehr weit. Paul würde gern einen Umweg machen, doch es ist schon sieben Uhr vierzig. Außerdem regnet es. Deshalb beeilt sich Paul.

Nach seinen Begegnungen mit einem Wolkenelefanten und einem Straßenbahnschiff wundert es Paul jetzt nicht mehr, dass vor der Schule ein Mann auftaucht, dessen Anblick

auch einem größeren Jungen als Paul die Sprache verschlagen muss.

Der Mann spannt einen großen grünen Regenschirm auf, steigt auf einen Holzkasten, der
wie ein Koffer aussieht, und singt! Richtiger
Gesang ist es aber nicht. Paul hört einen Raben,
ein Dielenbrett und einen Bären. Der Bär
brummt, das Brett knarrt, der Rabe krächzt:

«Übernehme gegen Lohn
Aufsicht über Präposition.
Suche dringend Prädikat,
biete frischen Wortsalat.
Kaufe einzeln und komplett
Konsonanten (außer Z).
Wer tauscht alte Stammsyllaben
gegen fertige Hausaufgaben?»

Paul kommt gerade noch zur rechten Zeit in die Klasse. Heute hat Paul Biologie, Mathematik, Russisch, Deutsch, Deutsch, Russisch. Die Schule ist wie jeden Tag. Paul ist nicht besonders fleißig, und Paul ist nicht besonders faul. Er wartet heute ungeduldiger auf die große Pause, weil er mit allen Spielern seiner Fußballmannschaft über das Training sprechen will. Nach dem Unterricht geht Paul schnell nach Hause. Den Mann auf dem Holzkoffer und sein Lied hat er vergessen.

Paul will vor dem Fußballtraining seine Hausaufgaben hinter sich bringen. Gerade will Paul das Deutsch-Heft aufschlagen, als es an der Wohnungstür klingelt. Paul öffnet die Tür einen Spaltbreit und vergisst, den Mund wieder zuzumachen.

Vor der Tür steht der Mann mit dem Holzkoffer. «Mein Name ist Vielolog», sagt der Mann mit brummender, knarrender und krächzender Stimme. «Ich möchte dir einen Vorschlag machen.» Dabei klopft er auf seinen Koffer.

Paul sagt: «Meine Eltern sind auf Arbeit, komm bitte heute Abend wieder.»

Aber der Mann sagt: «Ich übernehme eine Woche lang deine Hausaufgaben, wenn du mir alle deine Präpositionen und … sagen wir mal … die bestimmten Artikel gibst. Das ist ja nicht viel.»

Paul überlegt. Dann sagt er: «Wie soll ich dir meine Präpositionen oder so was geben. Die hab ich doch nicht im Schrank.»

«Du sagst einfach, dass du sie mir gibst, und fertig. Du kriegst natürlich 'ne Quittung.»

Da denkt Paul: Eine ganze Woche lang keine Hausaufgaben! Und ich brauche bloß zu sagen: ‹Ich geb dir meine Präpositionen und … und was? Ach so, die bestimmten Artikel.› Na, wenn es weiter nichts ist. Paul sagt: «In Ordnung. Ich geb dir meine Präpositionen und die bestimmten Artikel.» Er führt den Mann in sein Zimmer. Vielolog stellt den großen grünen Regenschirm in die Ecke, öffnet den Holzkoffer und holt einen Notizblock heraus. Während er die Quittung schreibt, kann Paul sehen, was in dem Koffer ist. Es sind kleine Holzkästchen, und auf jedem Kästchen klebt ein Zettel. Paul liest auf einem Zettel das Wort ‹Pronomen› und einen Namen, der ihm sehr bekannt vorkommt. Es ist ein Junge aus der achten Klasse, erinnert sich Paul, und er denkt:

Bin ich ja nicht
der Einzige.
Vielolog,
der an Pauls
Tisch sitzt, überreicht Paul die Quittung und
macht sich sogleich an Pauls Hausaufgaben.
Paul steckt die Quittung in die Hosentasche
und sagt: «Ich gehe Sportplatz.»
Da lächelt Vielolog zufrieden.

Am Abend will Pauls Mutter wissen, ob Paul seine Hausaufgaben erledigt hat. «Ja», sagt Paul.

«Und was hast du sonst noch gemacht?», fragt Pauls Mutter.

«Och»; sagt Paul, «ich war Fußballtraining. Hinterher saßen wir noch Eisdiele.»

Pauls Mutter starrt Paul an, sagt aber nichts. Sie denkt: Vielleicht hat Paul sich wieder etwas Neues ausgedacht.

Als er von dem Regen erzählt, den er am Morgen erlebt hat, sagt Paul: «Regen stürzte Straßenbahn wie haushohe Wellen ein Schiff.»

Pauls Mutter sagt: «Du kannst mir doch nicht erzählen, dass die Straßenbahn von dem Regen umgefallen ist!»

«Hab ich doch gar nicht gesagt!», sagt Paul.

In der Schule geht es erst richtig los. Pauls Mitschüler merken gleich, dass mit Paul etwas
nicht stimmt. Immer, wenn er etwas sagt,
sehen sie ihm auf den Mund. Als Paul in der
Geographiestunde aufgerufen wird und sagen
soll, wohin der Main fließt, sagt Paul: «Main
fließt Rhein.»

Da lachen alle, sogar Pauls Freunde. Und der
Lehrer sagt: «So rein fließt der Main gar nicht,
Paul.»

Zum Direktor, der in der Pause den Korridor
entlangkommt und wissen will, ob Pauls Lehrer noch in der Klasse ist, sagt Paul: «Nein,
Lehrer ist nicht Klasse.»

Der Direktor ist eine Sekunde lang sprachlos.
Paul vergisst vor Aufregung, was der Direktor
sagt. Etwas Angenehmes ist es jedenfalls nicht.

Dass Paul aber keine Hausaufgaben zu machen braucht, findet er wirklich schön. Endlich kann er nach der Schule tun, was er will. Am liebsten spielt er Fußball. Aber er ist allein. Die anderen kommen immer erst auf den Sportplatz, wenn sie ihre Hausaufgaben gemacht haben. Was soll Paul so lange tun? Er legt sich ins Gras und sieht in den Himmel. Er langweilt sich.

Am Montag darauf ist die Zeit ohne Hausaufgaben vorüber. Paul kommt von der Schule nach Hause und seufzt, weil er das Gefühl hat, dass für ihn mehr hätte herausspringen müssen als eine Woche ohne Hausaufgaben. Es macht Paul gar keinen richtigen Spaß mehr zuzusehen, was es zu sehen gibt, weil er es nicht mehr richtig erzählen kann. Und es macht auch gar keinen richtigen Spaß mehr, etwas zu sagen. Die Mit-

schüler lachen, der Lehrer glaubt, Paul macht dumme Witze, und der Direktor schimpft.

Zwei Wochen hätte ich mindestens verlangen müssen, denkt Paul und setzt sich an seinen Tisch. Da klingelt es. Wieder steht Vielolog vor der Tür.

Paul bittet ihn herein und sagt: «Du musst mir *noch* eine Woche geben!»

«Gut, aber nicht umsonst», knarrt das Dielenbrett.

«Was willst du denn?», fragt Paul.

«Ich will alle deine Verbformen», krächzt es aus dem Mann.

«Alle meine Verbformen?», ruft Paul erschrocken.

«Den Infinitiv kannst du meinetwegen behalten», brummt der Mann.

32

Paul überlegt: Immerhin, Infinitiv reicht vielleicht. Ich könnte jeden Nachmittag schwimmen gehen, bis die anderen zum Fußballspielen kommen. Und heute Nachmittag ist Zirkus!

«Einverstanden», sagt Paul. Vielolog öffnet den Koffer, holt ein neues Kästchen heraus, schreibt ‹Verbformen› und Pauls Namen darauf. Paul bekommt seine Quittung und macht sich auf den Weg zum Zirkus.

Die Vorstellung fängt erst um fünfzehn Uhr an. Paul kann sich vorher die Tierschau ansehen. Vor den Käfigen, in denen die Löwen liegen, trifft Paul seinen Freund Bruno.

Paul fragt: «Gehen du auch Zirkus?»

Bruno sagt: «Paul, was ist los mit dir?»

«Nichts», antwortet Paul. «Wann machen du Hausaufgaben?»

Bruno sagt: «Nun hör aber auf, Paul!»
An der Zirkuskasse sagt Paul gar nichts. Er
gibt Bruno das Eintrittsgeld, und Bruno kauft
zwei Karten.
Ehe die Vorstellung beginnt, fragt Paul noch:
«Bruno, was gefallen dir besser, Akrobatik
oder Dressur?»

«Am besten gefällst *du* mir»,
antwortet Bruno.
Da schweigt Paul bis zum Ende
der Vorstellung, obwohl er gerne etwas
gesagt hätte.
Bruno hat zuletzt beinahe ein schlechtes
Gewissen.
Am Abendbrottisch
muss Paul seinen Eltern
unbedingt vom
Zirkus erzählen.

«Herrlich sein Dressuren», sagt er. «Ein Tiger springen ein brennender Reifen. Ein Elefant sitzen ein großer Hocker.» Pauls Eltern werden sehr traurig, als sie Paul reden hören. Er hatte ihnen beim Abendbrot immer von seinen Erlebnissen erzählt. Jetzt bringt er nur noch solche Sätze zustande.

Vater, der sich nichts anmerken lassen will, fragt: «Und die Akrobaten?»

«Es geben Trapezkünstler und einen Seiltänzer», sagt Paul. «Seiltänzer halten jede Hand einen Regenschirm, und seine Schultern tragen er ein Mädchen.»

Jetzt sieht Paul, dass seine Eltern sehr traurig sind.

Als Paul in sein Zimmer gegangen ist, sagt Mutter: «Zuerst dachte ich, Paul hat sich einen

Spaß ausgedacht. Aber das ist schon kein Spaß
mehr. Was ist bloß mit ihm los?»

«Ist Paul vielleicht krank?», fragt Vater.

Mutter sagt: «Nein, bestimmt nicht. Das hätte
ich gemerkt. Es muss irgendetwas anderes
sein. Was ist es bloß?»

«Warten wir ab», sagt Vater, «wir müssen Ge-
duld haben.»

In der Schule sagt Paul so wenig wie möglich.
Seine Mitschüler warten nur darauf, dass er
etwas sagt, und prusten gleich los. Sie glauben,
dass Paul einen Dreh gefunden hat, die Lehrer
auf den Arm zu nehmen. Nur Fritz, der nie
Pauls Freund war, sagt in der Pause zu Paul:
«Sein du kleines Knirpschen, müssen du
Kindergarten gehen. Oder Mutti Rockzipfel
bleiben.»

Der Klassenlehrer bestellt Paul schließlich zu sich und sagt sehr ärgerlich: «Wenn das so weitergeht, dann müssen wir ein ernstes Wort mit dir reden. Was denkst du dir eigentlich? Du glaubst wohl, du kannst dir alles erlauben, wie? Nimm dich gefälligst zusammen und hör mit den Faxen auf!»

Paul zuckt nur mit den Schultern.

Nachmittags geht er ganz allein ins Schwimmbad, sucht sich ein einsames Fleckchen auf der Liegewiese und grübelt. Im Unterricht geht es nur noch, wenn Paul ‹seine› Hausaufgaben vorliest. Vielolog ist sehr klug. Er macht Pauls Hausaufgaben nicht besser, als es Paul getan hätte. Wenn Paul aber selber etwas sagen muss oder wenn eine Arbeit geschrieben wird, bei der man in ganzen Sätzen antworten muss, dann ist

es schlimm für Paul. Die Lehrer glauben, Paul
macht absichtlich alles falsch. Es vergeht keine
Stunde ohne einen Tadel, es regnet Vieren und
Fünfen, und alle Lehrer schimpfen mit Paul.
Paul schläft in der heißen Sonne ein. Er träumt
aber gar nichts. Er wacht auf und fragt sich, wie

lange er nicht mehr richtig geträumt hat. Eine Woche? Oder schon zwei?

Das Wasser im Schwimmbecken ist so frisch, dass Paul seine Grübeleien wieder vergisst.

Die zweite Woche vergeht sehr schnell. Paul schweigt meistens.

Am dritten Montag sagt er zu Vielolog: «Ich können gar nichts mehr allein machen. Du dürfen mich jetzt nicht sitzen lassen.»

Vielolog ist zufrieden. Aber umsonst tut er natürlich nichts.

Paul sagt: «Du haben schon genug!» Doch Vielolog lässt sich nicht beirren.

Schließlich gibt Paul nach: «Also, was verlangen du?»

Und Vielolog sagt: «Von jedem Wort, das mit zwei Konsonanten anfängt, verlange ich den

42

ersten Konsonanten. Das ist ja nicht viel.»

Schon am nächsten Tag begreift Paul, worauf er sich diesmal eingelassen hat.

Mutter trägt ihm beim Frühstück auf, nach der Schule einkaufen zu gehen. Paul soll zehn Schrippen, vier Bratwürste, eine Tüte Haferflocken und eine Tüte Graupen kaufen. Außerdem braucht Mutter ein Tütchen Staubzucker, weil sie Plätzchen backen will. «Soll ich's dir aufschreiben», fragt Mutter, «oder merkst du's dir?»

Paul sagt: «Nicht aufschreiben.»

Nach der Schule geht Paul in den kleinen Lebensmittelladen an der Ecke.

Die Verkäuferin fragt: «Was möchtest du, Paul?»

Paul schnurrt Mutters Bestellung herunter:

«Zehn Rippen, vier Ratwürste, eine Tüte
Hafer-Locken und eine Tüte Raupen. Und

ein Tütchen Taubzucker, Mutter wollen Lätz-
chen backen.»

45

Die Verkäuferin, die von Paul gehört hat, sagt ernst: «Tut mir Leid, Paul, das haben wir nicht. Versuch's doch mal woanders.»

Paul stolpert verwirrt aus dem Laden. Den ganzen Nachmittag läuft er durch die Stadt. Er will schon umkehren, als er endlich Vielolog aus einem Haus kommen sieht. Vielolog trägt in der Linken seinen Regenschirm, in der Rechten trägt er seinen Holzkoffer.

«Vielolog!», ruft Paul.

Vielolog dreht sich um und wartet.

Atemlos bleibt Paul vor Vielolog stehen und sagt, so schnell er kann: «Ich wollen alles wiederhaben!»

Aber Vielolog lacht Paul einfach aus. «Da kann ja jeder kommen», sagt er. «Wir haben ein ehrliches Geschäft gemacht, und damit basta.

Oder habe ich etwa *nicht* deine Hausaufgaben erledigt?» Paul ist verzweifelt.

«Ich geben dir meine Indianer, Autos und Lugzeuge. Und meinen Fußball!», sagt Paul. Vielolog lacht einfach. «So was sammle ich nicht», sagt er. «Aber ich habe eine Idee.» Er öffnet seinen Koffer und holt ein Blatt Papier heraus. «Du kriegst alles von mir zurück», sagt er, «wenn du herausfindest, was auf diesem Blatt fehlt. Ich gebe dir einen Tag Zeit. Wir treffen uns hier.» Paul reißt Vielolog das Blatt aus der Hand und rennt nach Hause. Mutter ist sehr ärgerlich, weil Paul nichts eingekauft hat. Jetzt muss Mutter selbst einkaufen gehen, obwohl sie von der Arbeit müde ist. Paul verschwindet in seinem Zimmer und liest das Blatt von Vielolog. Auf dem Blatt steht:

Es geben einen Mann roße Ohren. Mann essen
gerne. Oder er gehen pazieren und lachen.
Er haben einen lauen Anzug, ein gelbes Hemd
und eine rote Rawatie. Seine Sachen sein
angenehm mutzig. Jedes Haus leiben er tehen
und lauschen. Er wollen Kinder hören. Mann
haben immer einen Koffer Hand. Oft gehen
Mann ein Heus.
Wohnung Mann sein fabelhaft unordentlich.
Überall liegen Holzkästchen. Manchmal sein
Mann sehr röhlich. Dann nehmen er Kästchen
und werfen sie Höhe. Ein Kästchen landen Rank,
ein Kästchen landen Lampe. Mann aber lachen
nur. Er sein sehr lampig.
Abends sitzen er Tisch und ritzeln. Oder
malen er? Öfter lesen er seine Ritzelei laut.
Es lingen roßartig. Mann hopsen Tisch und
rufen:

> Was ich will, das kriege ich,
> kriege ichis, verbiege ich
> Wort für Wort und Satz für Satz.
> Katz beißt Hund und Hund beißt Katz.

Vielolog, der unterdessen nach Hause gegangen ist, hopst um seinen Tisch, wirft kleine Holzkästchen in die Höhe und singt:
«Faulpaul,
paulfaul,
kann nur auf zwei Beinen stehen,
aber denkt, aber denkt,
wird wohl auch mit einem gehen,
hat das andre *mir* geschenkt.
Was ich krieg, das hat er nicht,
was ich hab, das kriegt er nicht.»

Vor lauter Schadenfreude kriegt Vielolog einen
dunkelroten Kopf.

Er muss nach Luft schnappen, setzt sich auf
seinen Holzkoffer und japst: «Kriegt er nicht,
kriegt er nicht!»

Paul kann die halbe Nacht nicht schlafen. Am
nächsten Tag bittet er Bruno um Hilfe.

Sie treffen sich nach der Schule bei Paul,
und Paul weiht Bruno in das Geheimnis ein.

«Mensch, Paul», sagt Bruno, «du warst aber
leichtsinnig.»

«Wissen ich ja», sagt Paul, «was sollen ich denn
jetzt tun?»

«Du musst alles, was du Vielolog gegeben hast,
von neuem lernen», antwortet Bruno.

«Und wie?», fragt Paul.

«Du schlägst in deiner Grammatik nach

essen
es
sie
er
du isst
ich esse
große
froße
droße
croße
broße
roße

und ich im Wörterbuch. Und wenn du nicht weiterkommst, helf ich dir.»

Gesagt, getan.

Paul schlägt seine Grammatik auf und findet heraus, dass es heißen muss: ‹Es *gibt* einen Mann ...›

Er probiert vor dem ‹r› in ‹roße› alle Konsonanten aus und kommt darauf, dass ein ‹g› fehlt: ‹große›.

«Ich haben es!», sagt er. «Satz heißen: ‹Es gibt einen Mann große Ohren.› Stimmen das, Bruno?»

«Nein», sagt Bruno, «da fehlt noch was.»

Wieder sieht Paul in seiner Grammatik nach und sagt: «‹Es gibt einen Mann *mit* große Ohren.› Nein, ‹... mit groß*en* Ohren›.»

«Stimmt!», ruft Bruno.

Satz für Satz kommt Paul der Sache auf die
Spur. Manchmal muss Bruno nachhelfen.

Auch für Bruno ist es gar nicht einfach. Aber
leichter ist es für ihn doch, weil er alles im Kopf
hat.

Paul dagegen muss immer erst in der Grammatik oder im Wörterbuch nachsehen.

Am Ende ist das Blatt über und über bekrit-
zelt. Paul hat mit einem blauen Filzstift geschrieben, und das Blatt sieht so aus:

Es ~~geben~~ *gibt* einen Mann *mit* großen Ohren. ~~Mann esser~~ *Der isst*

gerne. Oder er ~~gehen~~ *geht* spazieren und ~~lachen~~ *lacht.*

Er ~~haben~~ *hat* einen blauen Anzug, ein gelbes Hemd

und eine rote ~~Krawatte~~. Seine Sachen ~~sein~~ *sind*

angenehm ~~schmutzig~~ *Vor jedem bleibt* *sch*

und ~~lauschen~~ *lauscht.* Er ~~wollen~~ *will die* Kinder hören. ~~Mann~~ *Der*

~~haben~~ *hat* immer einen Koffer ~~Hand~~ *in der.* Oft ~~gehen~~ *geht*

der Mann ein Haus. *(des Mannes ist)*

Die Wohnung ~~Mann sein~~ fabelhaft unordentlich.

Überall liegen Holzkästchen. Manchmal ~~sein~~ *ist*

der Mann sehr fröhlich. Dann ~~nehmen~~ *nimmt* er Kästchen

und ~~werfen sie Höhe~~ *wirft in die.* Ein Kästchen ~~landet~~ *Rank* *(auf der)* *sch*

ein Kästchen ~~landet~~ Lampe. ~~Mann~~ *Der* aber ~~lachen~~ *lacht* *(auf der)*

nur. Er ~~sein~~ *ist* sehr lampig. *sch*

Abends ~~sitzen~~ *sitzt* er *am* Tisch und ~~ritzeln~~ *kritzelt.* Oder

malt malen er? Öfter ~~lesen~~ *liest* er seine Kritzelei laut.

Es ~~klingen~~ *klingt* großartig. ~~Mann hopsen Tisch und~~ *Der hoppst (um den)*

~~rufen:~~ *ruft:*

Ach, den Rest will Paul gar nicht mehr sehen.

Es ist spät geworden. Paul steckt das Blatt in die Tasche.

Bruno begleitet ihn bis zur verabredeten Straßenecke.

Vielolog ist schon da.

Paul hält ihm das Blatt vor die Nase, und Vielolog lässt vor Ärger seinen Holzkoffer fallen.

«Also gut», brummt er.

Umständlich kramt er in seinem Koffer, holt vier Kästchen hervor, öffnet sie und schüttet sie aus.

«Da!», krächzt er.

Paul sagt: «Von mir kriegst du nie mehr auch nur die kleinste Silbe!» Er dreht sich um und läuft mit Bruno davon.

Vielolog hört nur noch, wie Paul ruft:
«Vielolog! Du Sprachabschneider!»

Umschlagillustration Amelie Glienke
Umschlaggestaltung Nina Rothfos
rotfuchs-Comic Jan P. Schniebel
Copyright © by Rowohlt Taschenbuch Verlag,
Reinbek bei Hamburg
Alle Rechte an dieser Ausgabe vorbehalten
Gesetzt aus der Garamond (Linotronic 500)

Hans Joachim Schädlich studierte Germanistik in Berlin und Leipzig. Von 1959 bis 1976 Arbeit an der Ostberliner Akademie der Wissenschaften. Anschließend als freier Übersetzer tätig. Seine seit 1969 verfassten Erzähltexte wurden in der DDR nicht veröffentlicht. Schädlich gehörte zu den Unterzeichnern der Biermann-Petition vom November 1976. Im August 1977 erschien der Prosaband «Versuchte Nähe» im Rowohlt Verlag. Ende 1977 übersiedelte Schädlich in die Bundesrepublik. Er lebt jetzt in Berlin. Veröffentlichungen (für Erwachsene): «Versuchte Nähe»; «Tallhover»; «Ostwestberlin»; «Schott»; «Aktenkundig»; «Mal hören, was noch kommt. Jetzt, wo alles zu spät is» u.a.

Amelie Glienke, Studium der Malerei und freien Grafik bei Professor Georg Kiefer, Hochschule der Künste, Berlin; arbeitet als Grafikerin, Zeichnerin, (unter dem Namen HOGLI) als Karikaturistin in Berlin und hat zwei Kinder. Sie illustrierte u.a. die «Vampir»-Bücher von Angela Sommer-Bodenburg.

© Antje von Stemm

BR 41/3

Kinderbuch-Klassiker bei rotfuchs

Eveline Hasler
Hexe Lakritze
Ab 6 Jahre
rotfuchs 20273

Doralies Hüttner
Komm, ich zeig dir die Sonne
Ab 8 Jahre
Ulli hält sich für einen Versager, in der Schule und auch sonst. Als er Jens begegnet, ändert sich alles ...
rotfuchs 20139

Hans Joachim Schädlich
Der Sprachabschneider
Ab 10 Jahre
Ein Mann bietet Paul an, eine Woche lang seine Hausaufgaben zu übernehmen, wenn er ihm dafür ein bisschen von seiner Sprache abgibt. Aber Paul merkt zu spät, worauf er sich da eingelassen hat ...
rotfuchs 20685

Irina Korschunow
Wenn ein Unugunu kommt
Ab 10 Jahre
rotfuchs 20269

Christine Nöstlinger
Wir pfeifen auf den Gurkenkönig
Ab 8 Jahre
Mit Majestät will dieses «Ding» angeredet werden, das da plötzlich in der Küche sitzt und um politisches Asyl bittet. *Ausgezeichnet mit dem Deutschen Jugendliteraturpreis.*

rotfuchs 20153

Mehr Infos im rotfuchs-Magazin *fuxx!* und unter *www.fuxx-online.de*